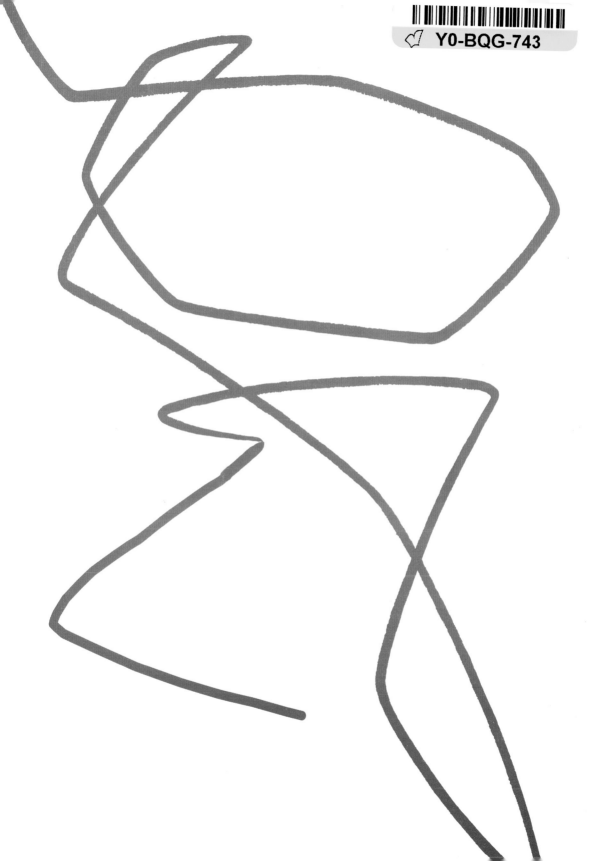

HAROLD Y EL CRAYÓN MORADO

Título original: *Harold and the Purple Crayon*
D.R. © del texto y las ilustraciones: Crockett Johnson, 1955
D.R. © Dagata S.A., 2011

D.R. © de esta edición:
Santillana Ediciones Generales, S.A. de C.V., 2011
Av. Río Mixcoac 274, Col. Acacias
03240, México, D.F.

Alfaguara es un sello editorial del **Grupo Santillana.**
Éstas son sus sedes:

Argentina, Bolivia, Chile, Colombia, Costa Rica, Ecuador, El Salvador, España, Estados Unidos, Guatemala, México, Panamá, Paraguay, Perú, Puerto Rico, República Dominicana, Uruguay y Venezuela.

Primera edición: diciembre de 2011
Primera reimpresión: abril de 2012

ISBN: 978-607-11-1649-9

Dirección de arte y diseño de la colección: Camila Cesarino Costa

Nidos para la lectura es una colección dirigida
por Yolanda Reyes para el sello Alfaguara

Impreso en México

HAROLD
y el
CRAYÓN
MORADO

HAROLD
y el
CRAYÓN
MORADO

Crockett Johnson

ALFAGUARA

Una noche, después de pensarlo durante
algún tiempo, Harold decidió dar un
paseo a la luz de la luna.

No había luna y Harold necesitaba una
para pasear a la luz de la luna.

Y necesitaba algo sobre qué caminar.

Hizo un sendero largo y recto para no perderse.

Y empezó a caminar con su gran crayón
morado.

Pero parecía que no llegaba a ninguna
parte por el sendero largo y recto.

Así que dejó el sendero y tomó un atajo
por el campo. Y la luna se fue con él.

El atajo llevaba justo a donde Harold
pensaba que debía haber un bosque.

No quería perderse en el bosque. Así que hizo uno muy pequeño, con un árbol solamente.

Resultó ser un manzano.

"Cuando se vuelvan rojas", pensó Harold,
"las manzanas van a ser muy sabrosas".

Así que puso un dragón aterrador bajo
el árbol para cuidar las manzanas.

Era un dragón terriblemente aterrador.

El mismo Harold se asustó. Retrocedió.

La mano en la que tenía el crayón morado

temblaba.

De repente comprendió lo que estaba
pasando.

Pero entonces Harold estaba hundido
en un océano.

Subió y pensó rápidamente.

Y en un abrir y cerrar de ojos se estaba
subiendo a bordo de un hermoso botecito.

Pronto desplegó la vela.

Y la luna navegó junto a él.

Después de navegar largo tiempo, Harold llegó a tierra sin problema.

Desembarcó en la playa y se preguntó
dónde estaba.

La arena de la playa le hizo recordar los
picnics. Y al pensar en picnics le dio hambre.

Así que sirvió un sabroso y sencillo
almuerzo de picnic.

Sólo había tarta.

Pero había las nueve clases de tartas
que más le gustaban a Harold.

Cuando Harold terminó su picnic,
todavía quedaba mucha.

No quería que se desperdiciara una tarta
tan deliciosa.

Así que Harold dejó que un alce muy
hambriento y un digno puercoespín
se la terminaran.

Y se fue a buscar una colina para subir
y ver dónde estaba.

Harold sabía que cuanto más subiera, más lejos podría ver. Así que decidió convertir la colina en una montaña.

Pensó que si subía lo suficiente, podría ver
la ventana de su cuarto.

Estaba cansado y sentía que debía irse
a acostar.

Esperaba ver la ventana de su cuarto
desde la cima de la montaña.

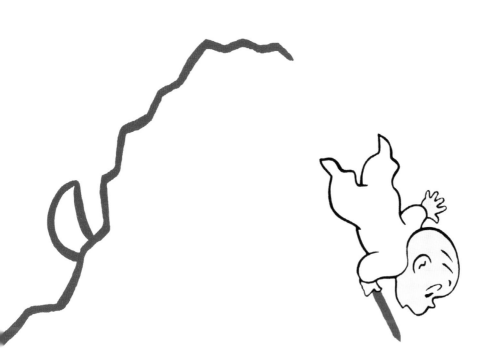

Pero cuando miraba para el otro lado
hacia abajo, se resbaló...

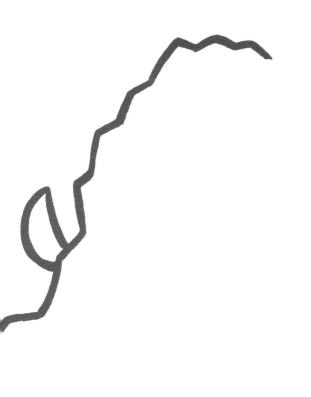

Y no había otro lado de la montaña.
Iba cayendo en el aire.

Pero, afortunadamente, se mantuvo
tranquilo y sostuvo su crayón morado.

Hizo un globo y se agarró de él.

Y también hizo una canasta debajo del globo, lo suficientemente grande para poder estarse ahí.

La vista era muy linda desde el globo pero
no podía ver su ventana. Ni siquiera podía
ver una casa.

Así que hizo una casa con ventanas.

E hizo que el globo aterrizara en el pasto del jardín delantero.

Ninguna de esas ventanas era su ventana.

Trató de pensar dónde debería estar su
ventana.

Hizo algunas otras ventanas.

Hizo un edificio grande lleno de ventanas.

Hizo muchos edificios llenos de ventanas.

Hizo una ciudad entera llena de ventanas.

Pero ninguna de las ventanas era su ventana.

No podía imaginar dónde estaba.

Decidió preguntarle a un policía.

El policía le indicó la misma dirección
en la que ya iba Harold. Pero Harold
le dio las gracias de todos modos.

Y caminó junto con la luna y deseó estar
en su cuarto y en su cama.

Entonces, de repente, Harold se acordó.

Se acordó dónde estaba la ventana de su cuarto cuando había luna.

Siempre estaba justo alrededor de la luna.

Entonces Harold hizo su cama.

Se subió y se tapó con las cobijas.

El crayón morado cayó al suelo y Harold
cayó profundamente dormido.

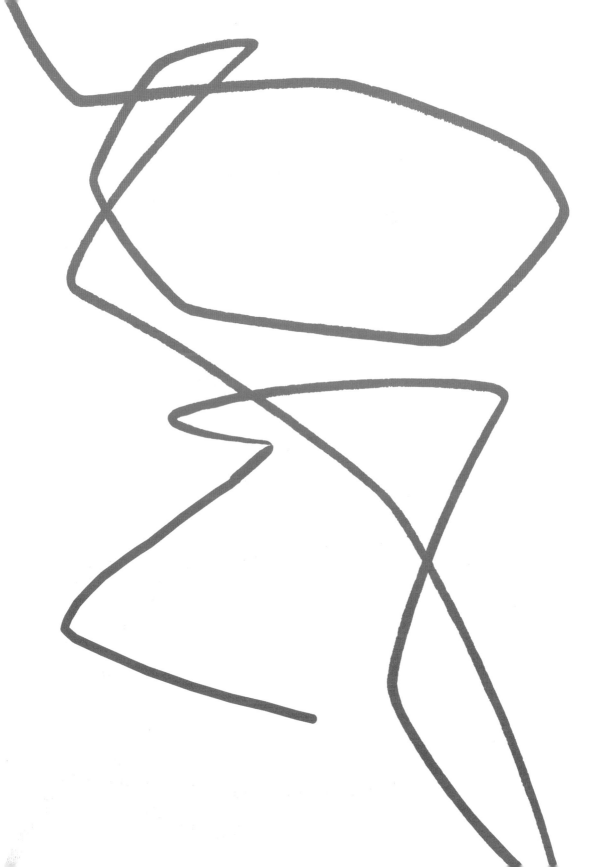

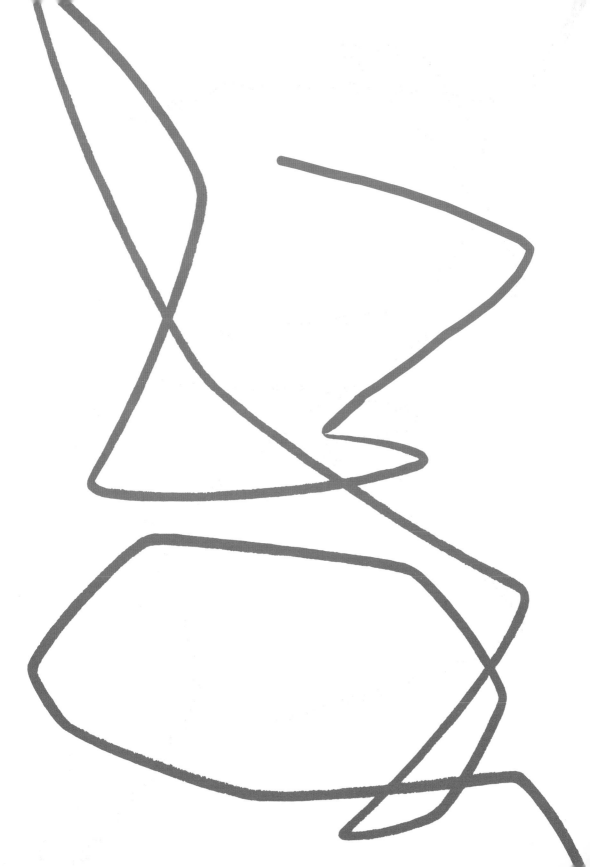

Este libro se terminó de imprimir en el mes de
abril de 2012, en Edamsa Impresiones, S.A. de C.V.
Av. Hidalgo No. 111, Col. Fracc. San Nicolás Tolentino C.P. 09850,
Del. Iztapalapa, México, D.F.